COTHIAS · JUILLARD

LES 7 VIES DE L'ÉPERVIER

LE MAITRE DES OISEAUX

T.5

 Glénat

Réalisation Partenaires
Dépôt légal juin 1990

LE 14 MAI 1610, LE CARROSSE ROYAL D'HENRY IV S'ENGAGE DANS UNE VOIE ÉTROITE DE PARIS, LA RUE DE LA FERRONNERIE. UN GÉANT ROUX VÊTU DE VERT PREND APPUI SUR UNE BORNE, SAUTE SUR LE MARCHEPIED ET FRAPPE LE SOUVERAIN DE TROIS COUPS DE COUTEAU EN PLEINE POITRINE. LA FOULE ENCERCLE L'ASSASSIN ET LES SOLDATS SE PRÉCIPITENT SUR LUI, PIQUES EN MAIN. IL S'EN FAUT DE BIEN PEU QU'IL NE SOIT ÉTRIPÉ SUR PLACE. LE ROI EST RAMENÉ EN TOUTE HÂTE AU PALAIS. UN FLOT DE SANG JAILLIT DE SA BOUCHE. TOUT EST FINI...

VERS QUATRE HEURES DE L'APRÈS-MIDI, LE BRUIT SE RÉPAND DE LA MORT DU ROI JUSQU'AUX OREILLES DU JEUNE DAUPHIN. L'ENFANT EST CONDUIT AU LOUVRE... MAIS SAIT-ON CE QU'EST LA MORT QUAND ON N'A QUE NEUF ANS ?...

...L'HANNO AMMAZZOTTO! ILS L'ONT TOUÉ, LES LÂCHES! YÉ LÉ SAVAIT QU'OUN JOUR TOUT ÇA FINIRAIT MAL! LÉ ROI EST MORT! LÉ ROI EST MORT! PAUVRÉ DÉ NOUS!...

LES ROIS NE MEURENT PAS EN FRANCE, MADAME! LE ROI EST VIVANT: C'EST LOUIS, VOTRE FILS AÎNÉ...

AÎNÉ, PEUT-ÊTRE, MAIS MINEUR! QU'ON RÉUNISSE LE CONSEIL DE RÉGENCE. IL EST QUATRE HEURES PASSÉES, YÉ VEUX QU'AVANT SIX HEURES MON GOUVERNEMENT SOIT CONSTITUÉ ET INSTALLÉ!

C'EST OUN ORDRE, SOULLY!

QUEL EST LE VILAIN DRÔLE QUI A BLESSÉ PAPA?

IL SE NOMME RAVAILLAC, SIRE, MAIS IL N'EST QU'UN SIMPLE INSTRUMENT...

LE ROI, AVANT DE RENDRE SON DERNIER SOUPIR, A PU NOUS MURMURER LE NOM DE CELUI QUI A TOUT MANIGANCÉ. IL NOUS A DIT AUSSI L'ENDROIT OÙ IL SE TROUVE, ET VOUS ALLEZ BIEN RIRE...

EUH...

À LA MÊME SECONDE, SUR LES HAUTES TERRES D'AUVERGNE...

VOUS AVEZ EU BEAUCOUP DE CHANCE, MONSIEUR LE BARON!

MOI, DE LA CHANCE ?!! MORBLEU, VOUS AVEZ DE CES MOTS!

CE NE SONT PAS LES MOTS QUI M'INTÉRESSENT, MAIS LES MAUX, M.A.U.X. JE SUIS MÉDECIN!

VOUS AVEZ REÇU LÀ UN FAMEUX COUP D'ÉPÉE QUI VOUS A TRAVERSÉ LE CORPS DE PART EN PART SANS RIEN ENDOMMAGER! LA BLESSURE À LA TÊTE DUE AU COUP DE PISTOLET EST TRÈS SUPERFICIELLE...

JE NE VOUS PRÉCONISERAI PAS DE SAIGNÉE, VOUS AVEZ DÉJÀ DONNÉ PLUS QUE VOTRE COMPTE. LA DIÈTE NE M'APPARAÎT PAS NON PLUS DE RIGUEUR...

... JE VOUS CONSEILLE SURTOUT DU REPOS, AFIN QUE LA PLAIE PUISSE BIEN SE REFERMER.

DE TOI À MOI, GUILLEMOT, JE CRAINS QUE CE MASSACRE NE SOIT PAS TOUT À FAIT DU GOÛT DE LA POLICE...

... OR LA POLICE, PAR ICI, EST À LA DISCRÉTION DU COMTE DE BRUANTFOU...

MON PETIT DOIGT ME DIT QUE CE GROS LARD POURRAIT ÊTRE DE PARTI PRIS CAR JE RECONNAIS LÀ LES FIGURES SYMPATHIQUES DE CERTAINS DE SES SOUDARDS...

... SI TON PÈRE DÉSIRE ÉVITER DES ENNUIS, IL DEVRAIT EN APPELER À LA JUSTICE DU ROI...

LE ROI A TROP À FAIRE, MONSIEUR CICONIA, POUR SE SOUCIER DE NOUS, MAIS THIBAUD NE REVIENDRA PAS. MON PÈRE LUI A FAIT PEUR!

LA PEUR NE DURE QU'UN TEMPS, ET LA PEUR APAISÉE, LA HAINE REVIENS...

LA HAINE... LES HOMMES DE BRUANTFOU SONT ARRIVÉS CHEZ NOUS EN COMPAGNIE D'UN MOINE À LA FIGURE DE LUNE QUI SE PARAIT DU TITRE DE GRAND INQUISITEUR... (1)

... ILS CHASSAIENT L'ÉPERVIER ET ÉTAIENT CONVAINCUS QU'ARIANE ÉTAIT DE CONNIVENCE AVEC LE BRIGAND...

1 - VOIR "HYRONIMUS".

5

VOUS SAVEZ CE QU'ILS LUI ONT FAIT SUBIR... ILS ONT TUÉ GUILLAUME ET FORCÉ LA MARIE. MON PÈRE LES A VENGÉS. COLIN ÉTAIT OCCUPÉ AUX CHAMPS... QUAND IL EST RENTRÉ, TOUT ÉTAIT TERMINÉ.

IL NE POURRA RIEN NOUS ARRIVER DE PIRE... JAMAIS...

JE TE LE SOUHAITE, MON GARÇON. QUANT A MOI, JE N'AI PAS TERMINÉ MA TOURNÉE. JE DOIS ENCORE ME RENDRE AU CHÂTEAU DE BRUANTFOU...

LE COMTE M'A FAIT PRÉVENIR DE SES PROPRES ENNUIS PAR TAILLEFER, AVEC UN SON DE CLOCHE TOUT À FAIT DIFFÉRENT. MON OPINION SUR LUI EST FAITE DEPUIS TOUJOURS ET JE SERAIS BIEN AISE DE LE LAISSER AVEC SES PLAIES ET BOSSES...

... MAIS JE SUIS TENU PAR LE SERMENT D'HIPPOCRATE...

... ET PAR LA PEUR QUE J'AI DE CE PORC...

POURQUOI AS-TU FAIT VENIR CE CHARLATAN ? JE N'AVAIS RIEN DEMANDÉ !

J'AI CRU BIEN FAIRE, PAPA ! JE SUIS SI FIER DE VOUS ! VOUS AVEZ COMBATTU CES BRUTES COMME UN VRAI DIABLE !

LE DIABLE, JE L'AI VU ! IL AVAIT UN NOM, IL AVAIT UN VISAGE, ET UN SOURIRE EFFROYABLE !...

CE DIABLE-LÀ EST **MORT**, MON PÈRE, JE L'AI ABATTU D'UNE BALLE DANS LA CERVELLE !

NE DIS PAS DE SOTTISE. LE DIABLE EST IMMORTEL...

... IL REVIENDRA...

COMMENT VOUS EX-PRIMER MA DOULEUR, MAJESTÉ !? NOTRE BON ROI HENRI "NOUS A QUIT-TÉS, HÉLAS! JE CROIS BIEN QUE LA FRANCE A PERDU SON BONHEUR..."

ASSEZ DE SIMAGRÉES, TORCHÉPOT! NOUS SOMMES SEULS...

"SEULS" MADAME ?

OUI PRÉVÔT LÉONORA CALIGAÏ EST MA SOEUR DE LAIT. ELLE A TOUTE MA CONFIANCE.

YÉ N'AI PAS NON PLOUS DÉ SÉCRET POUR CONCINO CONCINI, SON MARI, QUI EST MON PRINCIPAL CON-SEILLER. ILS SAVENT TOUT DÉ "L'AFFAIRE" QUI NOUS OCCUPE. NOUS POUVONS DONC PARLER EN TOUTÉ SÉCOU-RITÉ...

YÉ SOUIS INQUIÈTÉ, PRÉ-VÔT : L'ASSASSIN VA SOUBIR LA TORTOURE PENDANT L'INS-TROUCTION DE SON PROCÈS. LES JOUGES VOUDRONT SAVOIR QUI SONT SES COMPLICES!

YÉ "EUH" JE PEUX VOUS RASSURER COMPLÈTEMENT SUR CE POINT...

RAVAILLAC EST UN ILLUMINÉ. IL A SUFFIT D'ENTRE-TENIR SES PENCHANTS FANATIQUES POUR QU'IL SE LAISSE AL-LER À L'ACTE SALU-TAIRE EN CROYANT AGIR SEUL!

IL SE CROIT L'INSTRUMENT DE LA JUSTICE DIVINE. IL SE RECOMMANDE MÊME DE LA VIERGE MARIE!...

LE BOUGRE NE SE DOUTE PAS QUE, S'IL AVAIT FAILLI, DIX HOMMES SÛRS ATTENDAIENT LE ROI UN PEU PLUS LOIN, PRÊTS À INTER-VENIR...

YÉ VOIS! HENRI N'AVAIT DONC PAS L'OMBRE D'OUNE CHANCE!...

YÉ L'AVAIS PRÉVENOU QU'IL FALLAIT QU'IL CHOISISSE LA VOIX DE LA RAISON EN ABAN-DONNANT SES ANCIENS AMIS HOU-GUENOTS, MAIS IL NÉ VOULAIT TOUJOURS EN FAIRE QU'À SA TÊTE...

5

IL RESTE CEPENDANT OUNE PETITE ÉNIGME! QUÉ CÉ QUÉ C'EST QUÉ CÉ LÉONARD LANGUE-AGILE?...

UN VAGABOND SANS ÂGE, OISELEUR ET MARIONNETTISTE, QUI SE VANTE AUSSI D'ÊTRE POÈTE!...

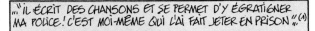

"IL ÉCRIT DES CHANSONS ET SE PERMET D'Y ÉGRATIGNER MA POLICE! C'EST MOI-MÊME QUI L'AI FAIT JETER EN PRISON."(1)

IL N'EST ÉVIDEMMENT POUR RIEN DANS NOTRE INTRIGUE, ET JE NE COMPRENDS PAS POURQUOI LE ROI L'A NOMMÉ AVANT DE RENDRE L'ÂME!

C'EST COURIEUX, EN EFFET, MAIS HENRI AVAIT DE TRÈS MAUVAISES FRÉQUENTATIONS...

YÉ VOUS DÉMANDE PARDON, MAJESTÉ, YÉ ENTENDOU PARLER DE LÉONARD, IL NÉ SEMBLE PAS QUÉ CÉ SOIT OUN CHANTEUR DÉ ROUE ORDINAIRE!...

LES ASTROLOGUES ET TOUS LES DÉVINS DE LA COUR, ONT DOU RESPECT POUR LOUI, ET AUSSI DÉ LA CRAINTE! ILS DISENT QUÉ LÉONARD EST OUN GRAND MAGICIEN!...

UN MAGICIEN, CET ÉPOUVANTAIL AMBULANT!?...N'ESPÉREZ PAS ME FAIRE GOBER PAREILLE SORNETTE!

COSIMO RUGGIERI PRÉTEND QUÉ LÉONARD EST ENCORE PIOUS DANGEREUX QU'OUN SIMPLE SORCIER. IL PENSE QUÉ LÉONARD EST LE DIABLE EN PERSONNE!...

SI CE VIEUX SAC À POUX EST LE DIABLE, MADAME, ALORS MOI JE SUIS LE SAINT-ESPRIT!

VOUS NÉ DÉVEZ PAS RIRE DE CES CHOSES, TORCHÉPOT! VOUS IGNOREZ DÉ QUOI LÉ MALIN EST CAPABLE!

SOIT, SIGNOR CONCINI, POUR LE SAVOIR, IL NOUS SOUFFIRA HEM!...SUFFIRA DE LUI INFLIGER LA QUESTION!

SI VOTRE ALTESSE VEUT BIEN ME DÓNNER PAGE BLANCHE, J'EN FAIS DORÉNAVANT UNE AFFAIRE PERSONNELLE!...

À VOS RISQUES ET PÉRILS, TORCHÉPOT!

(1) VOIR: "LE TEMPS DES CHIENS."

8

ET POUR GRAND-PIN, CE GRAND FIER-À-BRAS SUR LEQUEL VOTRE FILS A RETOURNÉ SA FUREUR ?...

QU'ON OBÉISSE AU CAPRICE DE MON CHÉRUBIN ! CE SERA SON DERNIER, PUISQU'IL A ACCEPTÉ DE REMETTRE À SA MÈRE SA PERSONNE ET L'ÉTAT...

MAIS ...EUH... FAUT-IL VRAIMENT RESPEC-TER À LA LETTRE LES FOLLES PRESCRIPTIONS DE CE MORVEUX : LA BRÛLURE AU FER ROUGE, LE SUBTIL DÉPEÇAGE ET LE DÉMEMBREMENT ?

YÉ VOUS FAIS GRÂCE DOU SOUPPLICE DE GRANDPIN. POUR CÉ BRAVACHE, LE CACHOT SOUFFIRA ...

C'EST VOUS, MON BON SULLY ?

?...

OUI, SIRE, IL SE FAIT TARD. ET NOUS AVONS TOUS EU UNE RUDE JOURNÉE ...

POURQUOI LE ROI N'EST-IL PAS VENU M'EM-BRASSER, COMME À SON HABI-TUDE ?...

PENSEZ-VOUS QU'IL SOIT FÂCHÉ CONTRE MOI À CAUSE DE MA COLÈRE CONTRE SON CAPI-TAINE ?

VOUS AVEZ CRU BIEN FAIRE, CELA SEUL IMPORTE ...

EST-CE QUE PAPA EST MORT VRAIMENT, COMME ON LE DIT PARTOUT AUTOUR DE MOI ?...

HÉLAS, SIRE, LA MORT N'EST PAS UN JEU OÙ L'ON PEUT FAIRE SEMBLANT ...

VOUS ÊTES ROI, À PRÉSENT ; IL FAUT VOUS Y RÉSOUDRE ...

JE SUIS TROP JEUNE ENCORE POUR GOUVERNER. MA MÈRE M'A EXPLIQUÉ QUE C'EST ELLE QUI COM-MANDERA JUSQU'À CE QUE J'ATTEIGNE MA MAJORITÉ ...

...C'EST UNE BONNE IDÉE ...

9

7

JE N'EN DISCONVIENS PAS...

"VOUS DEVRIEZ RENTRER EN VOS APPARTEMENTS... ESSAYEZ, MALGRÉ TOUT, DE FAIRE DE JOLIS RÊVES... LES RÊVES SONT DE VOTRE ÂGE.

LES RÊVES NE SONT PAS LE PRIVILÈGE DES ENFANTS : PAPA RÊVAIT AUSSI. IL ME RACONTAIT QU'IL VOLAIT COMME UN AIGLE!...

N'ÉTAIT-CE PAS PLUTÔT UN ÉPERVIER?

COMMENT LE SAVEZ-VOUS?

VOTRE PÈRE, SIRE, N'ÉTAIT PAS SEULEMENT MON SOUVERAIN...

IL ÉTAIT AUSSI MON AMI...

ADIEU HENRI. JE N'AI PAS VRAIMENT DÉSIRÉ TA MORT, MAIS JE N'AVAIS PAS LE CHOIX...

SI JE N'ÉTAIS QU'UNE FEMME, J'EN RESSENTIRAIS DE LA TRISTESSE. MAIS JE SUIS UNE CHIMÈRE. JE SUIS UNE CRÉATURE DU MAÎTRE DES OISEAUX...

LA DOULEUR M'EST AUSSI ÉTRANGÈRE QUE LA JOIE, QUE LA PEUR ET QUE L'OUBLI...

VOILÀ CE QUI ARRIVE, GERMAIN, QUAND ON VEUT PÉTER PLUS HAUT QUE SON CUL !!!

...ET QUAND ON NE SAIT PAS FERMER SA GRANDE GUEULE !

D'OÙ TE VIENT CETTE RAGE DE MORDRE, PIGNEROL ? NOUS AVONS TOUJOURS ÉTÉ DE BONS COMPAGNONS...

...NOUS AVONS PAR-TAGÉ LE MEILLEUR ET LE PIRE !...

LE MEILLEUR ?!

TU AS TOUJOURS SU GARDER LE MEILLEUR POUR TOI ! TE SOUVIENS-TU, MON "BON" GRANDPIN, DU COQ DE St GERMAIN QUE TU AS MANGÉ SEUL ?

C'EST DE L'HISTOIRE ANCIENNE (1)

PAS SI ANCIENNE QUE ÇA ! J'AI LA DENT DURE, GERMAIN. IL NE M'EN RESTE QU'UNE QUI VAILLE, MAIS CELLE-LÀ, JE L'AI GARDÉE CONTRE TOI !

(1) VOIR TOME 1 : LA BLANCHE MORTE

9

EH BIEN, MON CHER DEVIN, QUÉ VOYEZ-VOUS DÉ BEAU DANS LES TRIPES DÉ CETTE BÊTE?

JE NE VOIS RIEN, MADAME, AU SENS STRICT DU TERME.

MON ART EST DE PRÉVOIR L'ACCOMPLISSEMENT DE TOUTES LES ÉCHÉANCES PAR LE DÉVELOPPEMENT D'UN ENSEMBLE DE DONNÉES DÉDUITES DE L'ANALYSE...

IL NE S'AGIT POINT LÀ DE SORCELLERIE, MADAME, NI MÊME DE MAGIE NOIRE, MAIS D'UNE VÉRITABLE SCIENCE DES CONJECTURES HÉRITÉE DES ANCIENS...

LES ANCIENS AVAIENT LA CONNAISSANCE! LA PUISSANCE DE LEURS OEUVRES SUFFIT À LE DÉMONTRER!...

Y'EN SOUIS BIEN CONVAINCUE! MAIS CÉ N'EST PAS LÉ PASSÉ QUI M'INTÉRESSE. PARLEZ-NOUS PLOUTÔT DOU PRÉSENT ET DÉ L'AVENIR...

LA VOLONTÉ DES DIEUX S'EXPRIME DANS LES ENTRAILLES DE CE CHIEN. LES SIGNES SONT INVISIBLES POUR LES REGARDS PROFANES, MAIS JE SAURAI BIEN VOIR CLAIR DANS CE SAC DE NOEUDS...

FEU VOTRE ÉPOUX, MAJESTÉ, A PASSÉ SA VIE À CARESSER D'UNE MAIN TOUT EN FRAPPANT DE L'AUTRE. C'ÉTAIT UN PERSONNAGE COMPLEXE, TOUT À LA FOIS GASCON, SCEPTIQUE ET INDULGENT, CAPABLE DE COUPS DE TÊTE...

ET AUSSI DÉ COUPS DE QUEUE! MADRÉ MIA! HENRI A COUCHÉ SOUS LOUI TOUTES LES FÉMELLES DÉ FRANCE ET DÉ NAVARRE! MAIS YÉ MÉ SOUIS VENGÉE! C'EST BIEN FAIT POUR SES PIEDS!...

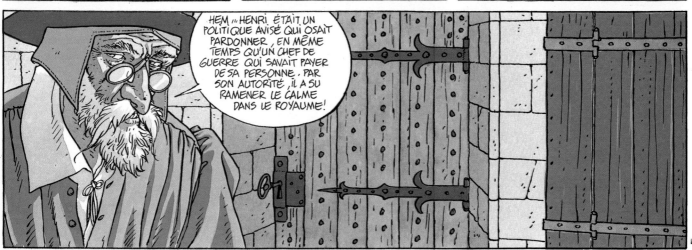

HEM... HENRI ÉTAIT UN POLITIQUE AVISÉ QUI OSAIT PARDONNER, EN MÊME TEMPS QU'UN CHEF DE GUERRE QUI SAVAIT PAYER DE SA PERSONNE. PAR SON AUTORITÉ, IL A SU RAMENER LE CALME DANS LE ROYAUME!

13

"MAIS JE CROIS QUE CES RÉSULTATS SONT TROP LIÉS À SON PROPRE PRESTIGE. VIVANT, IL POUVAIT IMPOSER SON ARBITRAGE, MAIS SA DISPARITION PRÉMATURÉE RISQUE DE DONNER LIBRE COURS À TOUTES LES FORCES CONTENUES"

L'ORDRE DES CIELS GÉNÈRE DES TENSIONS TRÈS PUISSANTES"

PRÉCISÉMENT, DÉVIN, DANS LÉ FOND DÉ SON COEUR HENRI EST RESTÉ OPINIÂTREMENT HOUGUÉNOT"

"IL A FAVORISÉ LES GENS DÉ LA RELIGION RÉFORMÉE AU DÉTRIMENT DES CATHOLIQUES" IL LEUR A ACCORDÉ L'EXERCICE POUBLIC DE LEUR COULTE DÉMONIAQUE"

À PRÉSENT QU'IL EST MORT" YÉ VEUX QUE CÉLA CHANGE"

LÉ MAL VIENT DES HOUGUÉNOTS! NOUS NOUS DÉBARRASSERONS OUNE FOIS POUR TOUTES DÉ CETTE RACAILLE POUANTE! GRÂCE À HENRI, LES TÊTES SONT MISES EN ÉVIDENCE. C'EST LÉ MOMENT DÉ COUPER!"

JE COMPRENDS VOTRE ALTESSE, MAIS JE CRAINS QUE VOTRE FILS LOUIS FASSE DES DIFFICULTÉS"

"IL EST LE ROI EN TITRE, MADAME, SINON EN FAIT. SAUF VOTRE RESPECT, VOUS N'ÊTES QUE LA RÉGENTE DE SON GOUVERNEMENT"

IL AVAIT UNE TELLE VÉNÉRATION POUR SON PÈRE, QU'IL N'ACCEPTERA PAS DE VOIR DÉTRUIRE SON OEUVRE S'IL LE VEUT, IL PEUT TOUT!"

BAH! LOUIS EST ENCORE OUN BAMBINO ET IL PRÉFÈRE JOUER AVEC SES ANIMAUX PLOUTÔT QU'AVEC LA POLITIQUE" SI NOUS SAVONS LÉ CARESSER DANS LÉ SENS DOU POIL"

YÉ SOUIS ABSOLOUMENT DÉ VOTRE AVIS, MADAME"

"IL SOUFFIT DE L'ENTRÉTENIR DANS SA PASSION POUR QUÉ SA MAJESTÉ NOUS FICHE OUNE PAIX ROYALE"

"YÉ MÉ CHARGE DÉ TOUT!"

JE VOUS AIME, CHEVALIER. QUAND JE SERAI GRANDE, JE VOUS ÉPOU-SERAI!

NE DIS PAS DE FOLIE, ARIANE! REGARDE-MOI... ME VOILÀ MAN-CHOT! C'EST UN LOURD HANDICAP POUR LE HÉROS DE TES RÊVES...

POURQUOI NE MONTREZ-VOUS JAMAIS VOTRE VISAGE?...

JE N'AI PLUS DE VISAGE.

VOUS AVEZ ÉTÉ BLESSÉ?

NON PAS AU VISAGE, PETITE FÉE, MAIS À L'ÂME... JE SUIS LE PRISONNIER D'UNE MALÉ-DICTION!...

JE SUIS UN HOMME PERDU...

ET MOI, JE T'AI TROUVÉ!...

?!

?!

JE TE CROYAIS PAR-TI POUR DE BON, MISÉRABLE! QU'ES-TU REVENU CHERCHER?

DES ENNUIS, J'IMA-GINE...

TOUJOURS CETTE IRONIE... TU NE MANQUES JAMAIS D'AIR!...

IL PARAÎT QUE L'AIR EST PROFITABLE AUX OISEAUX...

JE T'ARRACHERAI LES AILES!

13

15

NON PAPA...!!!

PAIX, ARIANE! NE TE MÊLE PAS DE CETTE FARCE! TON PÈRE N'EST PAS SEULEMENT UN ENNEMI MORTEL...!

...IL EST AUSSI MON FRÈRE...

TON FRÈRE?!... LAISSE-MOI RIRE!...!

TON FRÈRE?!... TU AS BIEN SU L'OUBLIER AUTREFOIS POUR LUI PRENDRE SA FEMME ET LUI FAIRE UN ENFANT!!!

BRABABOOM KRAAK

GUILLEMOT, EMMÈNE TA SOEUR AU CHÂTEAU...!

VOUS N'AVEZ PAS VOTRE PLACE ICI...

CONNAIS-TU LA NOUVELLE? LE ROI EST TRÉPASSÉ! LES PAPISTES TRIOMPHENT, LES HUGUENOTS TREMBLENT...

OUI, MONSIEUR TORCHEPOT, LES BRUITS COURENT VITE EN PRISON, EN DÉPIT DE L'ÉPAISSEUR DES MURS...

ET SAIS-TU QU'IL EST MORT EN MURMURANT UN NOM: "LÉONARD LANGUE-AGILE?"...

C'EST UN GRAND HONNEUR POUR MON HUMBLE PERSONNE...

C'EST SURTOUT UN SURCROÎT DE PROBLÈMES, MON AMI, CAR JE CONNAIS DES GENS QUI PENSENT QU'EN TE NOMMANT, HENRI A VOULU DÉSIGNER SON ASSASSIN!

"CES GENS-LÀ", PRÉVÔT, SONT AUSSI IGNORANTS QUE MAL INTENTIONNÉS. LE NOM DE L'ASSASSIN EST PARFAITEMENT CONNU...

16

RAVAILLAC EST TROP FOU POUR AVOIR AGI SEUL. ON L'A INFLUENCÉ, ON A ARMÉ SON BRAS.

C'EST PROBABLE, EN EFFET, MAIS JE SUIS AU SECRET DEPUIS JANVIER DERNIER* COMMENT AURAIS-JE PU Y CONCEVOIR UN TEL PLAN ET LE FAIRE APPLIQUER?...

TU POURRAIS DISPOSER DE QUELQUES POUVOIRS MYSTÉRIEUX...JE ME SUIS LAISSÉ DIRE QUE TU ÉTAIS UNE SORTE DE MAGICIEN, VOIRE LE DIABLE EN PERSONNE!... QU'EN PENSES-TU?...

C'EST TRÈS INTÉRESSANT...

QU'EST-CE DONC, À TON AVIS?...

JE NE SUIS PAS CERTAIN QUE TU ÉPROUVES LE MÊME INTÉRÊT POUR CELA...

RIEN DE BON POUR MOI, J'IMA-GINE...

EN GARDE, SCÉLÉRAT!...

RANGE TON ÉPÉE, YVON, JE SUIS PLUS FORT QUE TOI...

ALORS PROUVE-LE! TUE-MOI!

TOUJOURS CETTE IDÉE FIXE!...

RENGAINE CETTE ÉPÉE, YVON, ET ÉCOUTE-MOI!...

JE N'AI JAMAIS NIÉ QUE J'AVAIS AIMÉ BLANCHE!...

JE NE NIE PAS NON PLUS LUI AVOIR FAIT L'AMOUR...MAIS... C'ÉTAIT AVANT QU'ELLE NE DÉCIDE DE T'ÉPOUSER!

JE NE SUIS PAS AVEUGLE! J'AI SURPRIS VOS REGARDS!...

CE N'ÉTAIT QUE LES YEUX D'ANCIENS COMPLICES, ET TOUT ÉTAIT FINI DEPUIS LONGTEMPS DÉJÀ! TA FEMME NE M'AI-MAIT PLUS. TA FEMME N'AIMAIT QUE TOI!

* VOIR T-2 : LE TEMPS DES CHIENS.

17

CE PETIT APPAREIL QUE J'AI IMAGINÉ PEUT SERRER LES DOIGTS DE PIEDS OU DE MAINS JUSQU'À CE QUE LEURS OS ÉCLATENT. À CE JOUR, IL N'EST PAS UN QUESTIONNÉ QUI AIT PU Y RÉSISTER...

LAISSEZ MES OS, MONSEIGNEUR, JE N'AI PAS ENCORE TERMINÉ MON VOYAGE ET J'AI BIEN TROP BESOIN DE MES MAINS POUR JOUER DE LA VIELLE ET DE MES PIEDS POUR MARCHER!...

ET QUI M'EMPÊCHERAIT DE TE CASSER LES EXTRÉMITÉS?...

LA RAISON, MONSEIGNEUR! JE MÉRITE MON SURNOM: IL N'EST PAS NÉCESSAIRE DE ME POUSSER BEAUCOUP POUR M'ENTENDRE CHANTER À TORT ET À TRAVERS TOUS LES AIRS QU'ON VEUT...

CETTE "RAISON"-LÀ NE ME SUFFIRA PAS... TÂCHE DE TROUVER TRÈS VITE UN MEILLEUR ARGUMENT...

ALORS... L'INTÉRÊT, MONSEIGNEUR... LE DIABLE QUE JE SUIS EST L'HEUREUX PROPRIÉTAIRE D'UN TRÉSOR FABULEUX...

PEUT-ÊTRE, PEUT-ÊTRE PAS?... C'EST UN PARI À PRENDRE... JE SUIS UN HOMME USÉ ET J'AI LE COEUR FRAGILE. SI TU SERRES DAVANTAGE, LA DOULEUR ME TUERA ET TU NE SAURAS RIEN...

UN TRÉSOR? C'EST UN MENSONGE POUR M'APITOYER!...

BLANCHE CRAIGNAIT LA MISÈRE ET TU ÉTAIS L'AÎNÉ DES TROIL, LE BARON!... TU AVAIS LE CHÂTEAU...

...MOI, JE N'ÉTAIS QU'UN NOBLAILLON DE PACOTILLE, SANS TITRE ET SANS FORTUNE, CONTRAINT DE SE LOUER À SON ROI ET DE TUER POUR GAGNER DE QUOI REMPLIR DE MÉCHANTES GAMELLES...

BLANCHE A FAIT SON CHOIX! ET QUOIQU'IL M'EN AIT COÛTÉ, JE NE L'AI PLUS TOUCHÉE! NON, YVON, PLUS JAMAIS! ARIANE EST TA FILLE, YVON!

JE N'EN CROIS PAS UN MOT...

18

TU VEUX GAGNER DU TEMPS, MAIS JE N'AI RIEN À PERDRE!...

ET TOUT À GAGNER, PRÉVÔT!...

À PRÉSENT, GROS MALIN, PARLE-MOI DE CE TRÉSOR!...

UNE AUTRE FOIS, SI TU VEUX BIEN ...TES JEUX M'ONT FATIGUÉ. J'AI BESOIN DE DORMIR POUR REPRENDRE DES FORCES...

MAIS... TON BRAS!...

QU'EST-CE QUI EST ARRIVÉ À TON BRAS..?!...

UN PETIT ACCIDENT...

...MAIS C'EST SANS IMPORTANCE...

EN QUOI PUIS-JE T'ÊTRE SECOURS?

IL N'Y A NUL SECOURS QUE CELUI DE LA MORT, MAIS J'AI ENCORE DES OBLIGATIONS ICI-BAS

JE NE PEUX PLUS ME BATTRE DANS CES CONDITIONS!...

JE N'AI QUE FAIRE DE TA PITIÉ, YVON! JE SUIS ENCORE UN HOMME, MÊME AVEC UN SEUL BRAS ET JE SUIS PRÊT À EN PASSER PAR TON CAPRICE!...

ALORS FINISSONS-EN!

NON... JE PRÉFÈRE ENCORE ÉCOUTER TON HISTOIRE...

BLANCHE ÉTAIT GROSSE DE TES ŒUVRES ET TES SOUPÇONS LUI SONT DEVENUS ODIEUX... C'EST POURQUOI ELLE A FUI PAR CETTE NUIT DE TEMPÊTE...

...JUSQU'À CE STUPIDE ÉTANG OÙ LA MORT L'ATTENDAIT...

17

* VOIR T.1 : LA BLANCHE MORTE.

REVIENS ME VISITER DANS UN MOIS, TORCHEPOT, ET JE TE DIRAI TOUT...

JE T'ACCORDE CE RÉPIT, LÉONARD LANGUE-AGILE, MAIS PRENDS BIEN GARDE À TOI ! SI CETTE HISTOIRE DE TRÉSOR EST UNE PLAISANTERIE, JE JURE DE TE LA FAIRE REGRETTER AMÈREMENT !...

C'EST UN RISQUE À COURIR... C'EST UN PACTE À CONCLURE...

POURQUOI N'AS-TU PAS DIT CETTE VÉRITÉ PLUS TÔT ?...

JE TE L'AI DITE, YVON ! JE TE L'AI MÊME HURLÉE !!! MAIS TU NE VOULAIS RIEN ÉCOUTER QUE TA COLÈRE !

ALLONS, RESSAISIS-TOI, VIEUX FRÈRE ! PENSE À GUILLEMOT ! PENSE À ARIANE !... ILS ONT BESOIN D'UN PÈRE...

ILS POURRAIENT AVOIR BESOIN D'UN ONCLE, GABRIEL. RESTE ICI, À NOS CÔTÉS... TU ME SERAIS UTILE... ARIANE SERAIT HEUREUSE...

MERCI, YVON, MAIS J'AI DÉJÀ TROP FAIT DE MAL AUTOUR DE MOI... JE VAIS PRENDRE LA ROUTE...

...ET TU N'ENTENDRAS PLUS JAMAIS PARLER DE MOI...

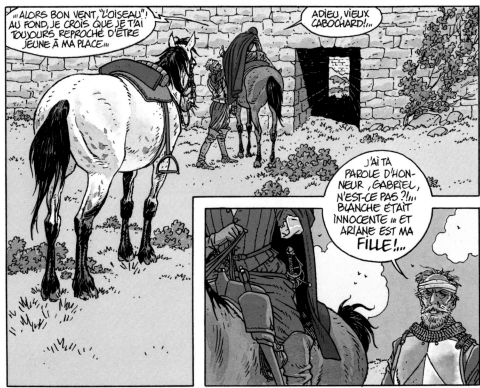

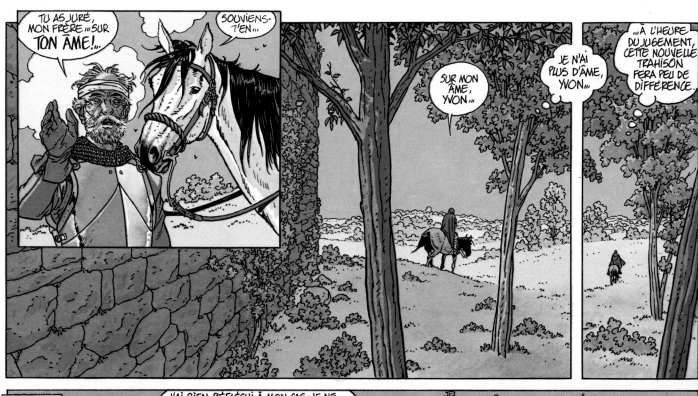

TU AS JURÉ, MON FRÈRE... SUR TON ÂME!...

SOUVIENS-T'EN!...

SUR MON ÂME, YVON...

JE N'AI PLUS D'ÂME, YVON...

...À L'HEURE DU JUGEMENT, CETTE NOUVELLE TRAHISON FERA PEU DE DIFFÉRENCE.

27 mai 1610...

J'AI BIEN RÉFLÉCHI À MON CAS: JE NE SUIS PAS RESPONSABLE DE LA MORT DU ROI. C'EST UN MALENTENDU... TOUT VA RENTRER DANS L'ORDRE!

TU REPRENDS VITE DU POIL DE LA BÊTE, "CAPITAINE"!

TU AS TOUJOURS PÉCHÉ PAR EXCÈS D'OPTIMISME, MAIS TU N'ES PAS AU BOUT DE TES PEINES!...

ASSEZ DE BONIMENT, MON PETIT, PIGNEROL!...

JE CONNAIS LE BARON DE SULLY QUI, OUTRE SES FONCTIONS DE MINISTRE, EST AUSSI COMMANDANT DE LA BASTILLE. JE LUI AI FAIT ADRESSER UN MOT AUQUEL IL VIENT DE RÉPONDRE. IL VA ME RECEVOIR... JE LUI EXPLIQUERAI TOUT, IL PARLERA AU ROI!...

LE ROI N'EST PAS IDIOT!

MAIS IL N'A PAS DIX ANS... L'ÂGE DES CAPRICES!

PAPA DISAIT TOUJOURS QUE SI DIEU VOULAIT BIEN LUI PRÊTER VIE LONGTEMPS, IL FERAIT QU'IL N'Y AURAIT POINT DE SUJET EN SON ROYAUME QUI N'AIT LE MOYEN D'AVOIR UNE POULE EN SON POT...

...PENDANT QUE LUI, LE ROI, LES METTRAIT DANS SON LIT!...

JE SUIS INQUIET, SULLY, JE N'AI PAS VU MIRZA DEPUIS QUE MON PAPA A ÉTÉ ENFERMÉ DANS UN CAVEAU DE SAINT-DENIS, VOICI DEUX SEMAINES, DÉJÀ...

C'ÉTAIT UNE CHIENNE DRESSÉE POUR LA CHASSE AU RENARD.

PAPA ADORAIT LA CHASSE, PRESQUE AUTANT QUE MOI...

OUI, SIRE, DU TEMPS DE SON VIVANT, IL JOUISSAIT D'UNE SANTÉ EXCELLENTE ET IL POUVAIT CHEVAUCHER QUINZE HEURES DE SUITE, ÉPUISANT ESCORTE ET MONTURES...

L'ENNUI, C'EST QUE CELA LE FAISAIT TRANSPIRER ET QU'IL AVAIT UNE SAINTE HORREUR DE SE LAVER...

J'AIMAIS BIEN CES FUMETS QUI LUI VENAIENT DU CORPS... ILS ME MANQUENT AUJOURD'HUI.

POURQUOI CES CRIS DEHORS, SULLY?...

QU'EST-CE QUE CETTE FOULE QUI MARCHE VERS LA CITÉ?!

21

AH ÇA ! VENTRE DE BICHE !
QU'EST CE QU'IL SE PASSE ICI ?
QUI EST CE MALHEUREUX ?
QUEL CRIME A-T-IL COMMIS
POUR JUSTIFIER UNE
TELLE HAINE ?

COMMENT ?
TU NE SAIS PAS ?...
C'EST RAVAILLAC !
C'EST L'ASSASSIN
DU ROY !

LE VERT GALANT EST
DONC BEL ET BIEN TRÉ-
PASSÉ ? JE L'AVAIS OUI-
DIRE EN CHEMIN
MAIS...

D'OÙ
EST-CE QUE
VOUS
SORTEZ ?...

J'ÉTAIS LE PRI-
SONNIER DU RÊVE
DES OISEAUX...
À PRÉSENT, JE SUIS
LIBRE DE VOLER
À MA GUISE !

CE N'EST QU'UN
PAUVRE FOU QU'ON
MÈNE DEPUIS LA SAINTE
CHAPELLE JUSQU'EN PLACE
DE GRÈVE... LE PIRE EST
QU'IL CROYAIT BIEN
FAIRE...

IL N'A AUCUNE EXCUSE !
JE VEUX QUE SA MISE À MORT
SOIT PRÉCÉDÉE DES SUPPLICES
LES PLUS ATROCES, RÉSERVÉS
AUX PLUS GRANDS
COUPABLES !

VOTRE VOLONTÉ, SIRE, SERA
POUR CETTE FOIS AMPLEMENT
SATISFAITE ! MAIS ON M'A FAIT
DIRE QUE VOTRE VOITURE EST
PRÊTE. IL FAUT VOUS METTRE
EN ROUTE...

... QUANT
À MOI, DES
TRAVAUX
M'ATTENDENT
À LA BAS-
TILLE.

JE VOUS LE
DEMANDE UNE
DERNIÈRE FOIS,
RAVAILLAC,
NOMMEZ VOS
COMPLICES !

J'AI AGI S...SEUL...
D...DIEU M'ACCORDERA
SON PA...PARDON...

BOURREAU,
FAIS TON
OFFICE !

24

SALUT, JOLI SOLDAT, JE SUIS À LA RECHERCHE D'UN ANCIEN COMPAGNON DE GUERRE ET DE RIPAILLE. IL ÉTAIT CAPORAL DANS LES GARDES DU ROI. IL A DÛ FAIRE SON CHEMIN DURANT TOUTES CES ANNÉES...

...TU LE CONNAIS SÛREMENT!

SI TU ME DIS SON NOM, JE POURRAI TE RÉPONDRE!

GRANDPIN. GERMAIN GRANDPIN. IL EST LA SEULE FAMILLE QUI ME RESTE ET J'ESPÈRE DE LUI QUELQUE SOUTIEN...

GRANDPIN!

SI TU ES UN AMI DU CAPITAINE GRANDPIN, NE T'EN VANTE PAS TROP FORT: IL A FAIT DES BÊTISES... DE TRÈS GROSSES BÊTISES...

LE CAPITAINE GRANDPIN ATTEND, MONSIEUR.

FAITES-LE ENTRER

JE VOUS SAIS GRÉ, MONSIEUR DE SULLY, D'AVOIR BIEN VOULU M'ACCORDER CET ENTRETIEN. JE CRAINS DE M'ÊTRE MIS DANS DES ENNUIS SÉRIEUX...

23

25

EN VÉRITÉ, JE NE SUIS COUPABLE QUE DU CRIME DE N'AVOIR PAS TOURNÉ MA LANGUE SEPT FOIS DEDANS MA BOUCHE AVANT DE M'ADRESSER AU ROI !

MAIS LE ROI A TRANCHÉ ET ON NE REVIENT PAS SUR LES JUGEMENTS DU ROI !

CE ROI EST UN ENFANT ! IL N'A PAS SA RAISON !

IL NE VOUS RESTE PLUS QU'À ATTENDRE QU'IL GRANDISSE...

MAIS ÇA PRENDRA DU TEMPS ! ÉNORMÉMENT DE TEMPS !!!

JE N'EN DISCONVIENS PAS...

JE CROYAIS AVOIR BESOIN DE GERMAIN GRANDPIN, MAIS C'EST GERMAIN GRANDPIN QUI A BESOIN DE MOI... ET RUDEMENT, MA FOI !...

AU TROT, VIEUX COMPAGNON ! NOUS ALLONS À VINCENNES, LE ROI Y EST...

J'AI SERVI DIX ANS DURANT DANS LES ARMÉES DE SON PÈRE...

LE FILS NE SAURAIT REFUSER DE M'ENTENDRE.

JE ME SUIS LAISSÉ DIRE, PRÉVÔT, QUE VOUS ÉTIEZ CE TANTÔT EN LA PLACE DE GRÈVE ET QUE VOUS AVEZ VU LE SUPPLICE DU DÉMON. EST-IL BIEN MORT, CE LÂCHE ?

ON NE PEUT EN DOUTER !

26

RACONTEZ-MOI PAR LE MENU ET N'OMETTEZ AUCUN DÉTAIL !!!

BIEN... DONC, LE BRAS QUI A FRAPPÉ NOTRE BON ROI HENRI A D'ABORD ÉTÉ PLONGÉ DANS DU SOUFRE EN FEU, CONFORMÉMENT À L'USAGE QUI VEUT QUE LE MEMBRE INFÂME SOIT LE PREMIER À ÊTRE CHÂTIÉ !!!

RAVAILLAC EUT ENSUITE LES MAMELLES TENAILLÉES AINSI QUE LES BRAS ET LES JAMBES. APRÈS QUOI LE BOURREAU VERSA PLOMB FONDU, CIRE ET SOUFRE BRÛLANT DEDANS LES PLAIES !!!

LE MONSTRE AVAIT-IL EN-CORE TOUTE SA CONS-CIENCE ?

CERTES, VOTRE MAJESTÉ, SES HURLEMENTS LE MONTRAIENT ASSEZ ! PUIS ON JUGEA BON D'UNE PAUSE AFIN QU'IL PUISSE SE SENTIR MOURIR EN DISTILLANT SON ÂME GOUTTE À GOUTTE. DES PRÊTRES QUI TENTAIENT DE LUI ADMINISTRER LES DERNIERS SACREMENTS EN EN FURENT EMPÊCHÉS PAR LA FOULE FURIEUSE !

AH ! LES BRAVES GENS !... ENSUITE ?

ENSUITE, LE RÉGICIDE FUT ÉCARTELÉ ET LES QUATRE CHEVAUX TIRÈRENT UNE HEURE DURANT, ET LA POPULACE TIRAIT AVEC EUX !!!

ET POUR FINIR, ELLE AIDA MÊME LE BOURREAU À SÉPARER MEMBRES ET TRONC AVEC FORCE COUTEAUX ET AUTRES OB-JETS TRANCHANTS ! ON VIT MÊME UNE FEMME DÉCHIRER LA CHAIR AVEC SES DENTS !!!

AVEC SES D... DENTS... ?

OUI SIRE, POUR LA MANGER !

B...BURP

ENFIN, LES LAMBEAUX DE SON CORPS FURENT PORTÉS DANS DI-VERS QUARTIERS DE LA VILLE ET BRÛLÉS !!!

DONC, LES LAMBEAUX DE SON CORPS FURENT PORTÉS DANS DIVERS QUAR-TIERS DE LA VILLE ET BRÛ-LÉS. APRÈS QUOI LES CEN-DRES FURENT DISPERSÉES À TOUT VENT, AFIN QU'IL NE RESTE NI RELIQUE NI MÉMOIRE !!!

...SUSCEP-TIBLES D'ÊTRE UTILISÉES PAR LES PARTISANS DE CET ASSASSIN.

BURP ! EURK ! EURK !

25

27

JE SUIS NAVRÉ, MONSIEUR, MAIS J'AI DES ORDRES TRÈS STRICTS DE LA RÉGENTE POUR QUE LE ROI SOIT TENU À L'ÉCART DE TOUT CE QUI CONCERNE LES PETITES AFFAIRES DE SON GOUVERNEMENT...

SI VOUS DÉSIREZ QUELQUES FAVEURS, IL FAUT VOUS ADRESSER À M. CONCINI QUI EST LE PLUS GRAND SPÉCIALISTE EN LA MATIÈRE...

MONSIEUR CONCINI DÉSIRE S'ENTRETENIR AVEC VOTRE MAJESTÉ.

JE NE VEUX PAS LE VOIR. JE SUIS OCCUPÉ!

VENTRE SAINT-GRIS! QU'EST-CE QUE C'EST QUE ÇA?

C'EST OUN PÉTIT CADEAU, SIRE...

ON DIT QUE LES CADEAUX ENTRETIENNENT L'AMITIÉ...

VOUS PERDEZ VOTRE TEMPS, CONCINO CONCINI! MON PÈRE N'ÉPROUVAIT QUE MÉPRIS POUR VOUS! QUOI QUE VOUS TENTIEZ, JE NE SERAI JAMAIS VOTRE AMI VÉRITABLE!

YÉ N'EN DÉMANDE PAS TANT! YÉ SAURAI BIEN MÉ CONTENTER DES APPARENCES...

L'ÉPERVIER EST PARTI VOLER VERS D'AUTRES CIEUX. IL M'A FAIT LA PROMESSE DE NE PLUS REPARAÎTRE ET JE ME SUIS RÉSOLU À LUI FAIRE CONFIANCE...

IL NE REVIENDRA PLUS?

NON, ARIANE, PLUS JAMAIS! NOUS RESTONS TOUS LES TROIS ET C'EST TRÈS BIEN COMME ÇA!

MONSIEUR LE BARON!

LE COMTE THIBAUD EST LÀ AVEC SES HOMMES!... TOUT VA RECOMMENCER!

ROAARAAAAAAARR

LÉ ROI DES ANIMAUX POUR LÉ ROI DES FRANÇAIS! YÉ PENSÉ QUÉ C'ÉTAIT OUNE IDÉE PRODIGIEUSE!...

YÉ L'AVAIS FAIT VÉNIR D'AFRIQUE POUR VOUS FAIRE OUNE SOURPRISE À VOTRE ANNIVERSAIRE, EN SEPTEMBRE PROCHAIN!...

MAIS Y'AI PENSÉ QUÉ...EUH...DOU FAIT DES CIRCONSTANCES, CÉ JOUET VOUS FÉRAIT OUN PEU DÉ DISTRACTION!!!!

JE NE M'ATTENDAIS PAS À TE REVOIR SI VITE, THIBAUD DE BRUANTFOU, TU NE MANQUES PAS D'APLOMB!...

PAIX, YVON, MA VISITE EST DE PURE COURTOISIE!

27

29

JE N'AI PAS DÉSIRÉ LA MORT DE TON VALET NI LE VIOL DE SA FEMME. C'EST HYRONIMUS QUI M'AVAIT MONTÉ LA TÊTE. SOUS SES DEHORS BONASSES C'ÉTAIT UNE BÊTE NUISIBLE, UN CHIEN ENRAGÉ...

JE VOULAIS SIMPLEMENT INTERROGER TA FILLE QUE LE MOINE AVAIT QUELQUES BONNES RAISONS DE CROIRE COMPLICE DE L'ÉPERVIER. MAIS TU AS PRIS LA MOUCHE ET M'AS TUÉ CINQ DE MES SPADASSINS...

C'EST UNE JOLIE PROUESSE POUR UN HOMME DE TON ÂGE. MAIS LES HOMMES NE ME MANQUENT PAS. JE PEUX EN LEVER CENT, RIEN QU'EN OUVRANT MA BOURSE...

...ET EN CLAQUANT LES DOIGTS...

HYRONIMUS N'EST PAS REPARU AU CHÂTEAU. SON VALET, FRÈRE ANSELME, QU'ON A RETROUVÉ ERRANT SUR LA ROUTE DE SALERS, LE TIENT POUR MORT EN MÊME TEMPS QUE SON GIBIER. CES DEUX CRÉATURES, SANS DOUTE AUSSI REDOUTABLES L'UNE QUE L'AUTRE, NE SONT PARVENUES QU'À S'ENTRETUER...

SI ON FAIT BIEN LES COMPTES, JE SUIS LE VRAI DINDON DE CETTE FARCE, MAIS POUR CETTE FOIS J'ACCEPTE DE PASSER L'ÉPONGE...

OUBLIONS LE PASSÉ! APRÈS TOUT, NE SOMMES-NOUS PAS DE LA MÊME ESPÈCE?

NON. NOUS NE SOMMES PAS DE LA MÊME ESPÈCE, THIBAUD, NOUS SOMMES ENNEMIS. JE NE TOLÉRERAI PLUS QUE TU TOUCHES UN SEUL CHEVEU DE MES ENFANTS.

POUR CE QUI EST DE LA PETITE, IL EST TROP TARD, VIEUX BOUC! ELLE N'A DÉJÀ PLUS UN SEUL POIL SUR LE CAILLOU! NI AILLEURS...

30

MES POILS REPOUSSENT, THIBAUD! CE N'EST PAS COMME TON OEIL!

ALLONS-NOUS-EN, MONSIEUR!...

TU AS RAISON, TAILLEFER, MAIS JE ME SOUVIEN-DRAI DE CETTE IMPERTI-NENCE!

THIBAUD PAIERA POUR SES CRIMES, ET SI SON RANG LE MET À L'ABRI DE LA JUSTICE DES HOMMES, LE CIEL SE CHARGERA DE SON PROCÈS.

LE CIEL EST VIDE, PAPA...

...L'ÉPER-VIER EST PARTI...

...ET NOUS NE POUVONS COMPTER QUE SUR NOUS-MÊMES.

NON! NON ET ENCORE NON! JE VOUS RÉPÈTE QUE JE NE VEUX PAS VOIR CES GENS!...

ILS SONT TROP LAIDS!

VOUS N'AVEZ PAS LE CHOIX, MON FILS, J'EN SUIS NAVRÉE! VOUS ÊTES LE ROI DE FRANCE. LE ROI A TOUS LES DROITS, SAUF CELUI DE SE DÉROBER À SES DEVOIRS!

29

31

LE TOUCHER DES ÉCROUELLES EST OUNE DES PLOUS ANCIENNES TRADITIONS DOU ROYAUME. VOTRE PÈRE Y CONSENTAIT SANS RÉTICENCE, ET SES PRÉDÉCESSEURS AVANT LOUI. ON VOUS A EXPLIQUÉ CÈ QU'IL VOUS FALLAIT FAIRE ET DIRE.

MON PÈRE TOUCHAIT VRAIMENT CE...CELA DE SES MAINS N...NUES?...

ABSOLOUMENT! LES ROIS DE FRANCE SONT THAU...THAUMA-TOURGES. ILS PEUVENT ACCOMPLIR DES MIRACLES!...

LE ROI TE T...TOUCHE,... DIEU TE GUÉRIT...

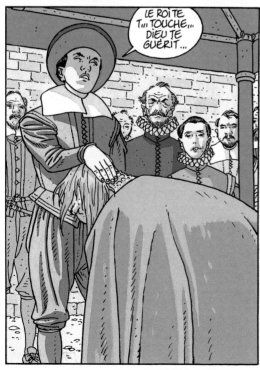

LE ROI TE TOUCHE, DIEU TE GUÉRIT...

LE ROI TE TOUCHE, DIEU TE...

?!

COMMENT EST-IL ?

CALME.

IL MANGE CE QU'ON LUI DONNE SANS JAMAIS RECHIGNER. DE MÉMOIRE DE GEÔLIER, J'AI JAMAIS CONNU UN CLIENT PLUS COMPLAISANT...

MAIS QUEQ'FOIS POURTANT, Y M'FAIT FROID DANS L'DOS ! J'SAIS PAS POURQUOI QU'Y M'FAIT FROID DANS L'DOS COMME ÇA... P'T'ÊTRE SON R'GARD...

C'EST BON, NOUS VERRONS CELA...

À PRÉSENT, LAISSE-NOUS, MON P'TIT. RE-FERME LA PORTE. JE T'APPELLERAI SI J'AI BESOIN DE TOI.

EH BIEN, "MAÎTRE LÉONARD" VOUS N'AVEZ PAS OUBLIÉ NOTRE RENDEZ-VOUS ?

JE N'OUBLIE JAMAIS RIEN, PRÉVÔT, NI MES DETTES, NI MES GAGES.

FORT BIEN ! PARLEZ-MOI DONC DE CE FAMEUX TRÉSOR...

SALE BÊTE !

UN PEU DE PATIENCE, PRÉ-VÔT, JUSTE LE TEMPS DE TE RACONTER UNE HISTOIRE...

PRENDS GARDE, VIEUX DÉBRIS ! SI TU TE JOUES DE MOI, IL POURRAIT BIEN T'EN CUIRE !!!

JE NE CRAINS PAS LE FEU...

ET MAINTENANT, ÉCOUTE...

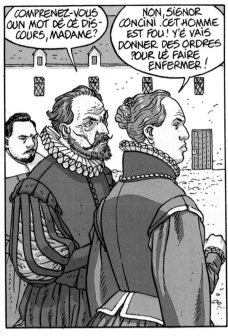

COMPRENEZ-VOUS UN MOT DE CE DISCOURS, MADAME?

NON, SIGNOR CONCINI. CET HOMME EST FOU! J'É VAIS DONNER DES ORDRES POUR LE FAIRE ENFERMER!

NON! PAS ENCORE! JE VEUX EN SAVOIR DAVANTAGE SUR CET INDIVIDU PASSIONNANT!

JE VOUS REMERCIE, SIRE, POUR CETTE CURIOSITÉ QUI EST UNE DES QUALITÉS DE VOTRE ÂGE!

APPRENEZ DONC QU'AVANT D'ÊTRE DEVENU CET INFIRME PITOYABLE, J'ÉTAIS LE PERSONNAGE D'UNE ÉTRANGE COMÉDIE, ASSEZ NAÏF POUR SE CROIRE INVESTI D'UNE MISSION SACRÉE...

"...ET SI J'ÉTAIS VENU À PARIS À L'ÉPOQUE, JE ME SERAIS SANS DOUTE PRÉSENTÉ DEVANT VOUS AVEC PLUS DE PANACHE!

JE VOUS AURAIS TENU UN TRÈS POMPEUX DISCOURS EN PRÉTENDANT COMBATTRE AU NOM DES OPPRIMÉS! J'AI EU LA FAIBLESSE DE ME CROIRE À LEUR SERVICE!..."

JE VOUS AURAIS PARLÉ DE LIBERTÉ, DE JUSTICE ET AUTRES FARIBOLES!

J'ÉTAIS UNE MARIONNETTE, ET CELUI QUI DANS L'OMBRE TIRAIT LES FICELLES EST UN DANGEREUX MANIAQUE! IL A ÉCRIT MON RÔLE! IL A IMAGINÉ JUSQU'À MON ACCOUTREMENT!

JE ME SUIS LAISSÉ PRENDRE À SON JEU COMPLIQUÉ, MAIS JE SAIS À PRÉSENT QUE LES DÉS SONT PIPÉS!

JE NE VEUX PLUS ÊTRE UN HÉROS! JE NE VEUX PLUS ME FAIRE DÉCOUPER EN MORCEAUX! JE NE VEUX PLUS PARLER QU'EN MON NOM!..

"...ET EN CELUI DE MES AMIS!

33

JE SUIS VENU OFFRIR MON DER-NIER SPECTACLE ! J'ESPÈRE QUE VOUS SAUREZ M'EN RÉCOMPENSER !

EXPLIQUEZ-VOUS, MONSIEUR !!!

JE SUIS VENU POUR ÇA...

DEPUIS LA NUIT DES TEMPS, LA LIBERTÉ A DONNÉ LE VERTIGE AUX HOMMES. ILS SE SONT INVENTÉ DES MAÎTRES POUR ENDI-GUER LE FLOT DE LEURS DÉLIRES, ET ILS ONT PLACÉ DIEU EN HAUT DE L'ÉDIFICE...

ET AUJOUR-D'HUI ENCORE, LE CIEL RÉSONNE TOUJOURS DE L'HARMONIE DES SPHÈRES ANGÉ-LIQUES...

...MAIS PEUT-ÊTRE À LA LONGUE QUELQUE PEU MONOTONES !

ALORS LES HOMMES SE SONT EXORCISÉS EN INVOQUANT LE DIABLE...

ILS LUI ONT PRÊTÉ LES EXCÈS DE LEUR NATURE, ILS L'ONT PARÉ D'UNE QUEUE, DE CORNES ET DE SABOTS... C'EST UN BOUC ÉMIS-SAIRE...

IL Y A QUINZE ANNÉES, AVANT QU'UNE BOHÉ-MIENNE AVEUGLE NE M'INVITE À CHANGER D'UNI-FORME POUR AMUSER LE DIABLE...

...J'AVAIS UN TITRE DE CAPITAINE ET LA COMMANDE D'UN RÉGIMENT...

...J'Y AI CONNU UN JEUNE TAMBOUR...

...UN MORPION NOMMÉ GRANDPIN...

34

"""HENRI L'AVAIT PRIS SOUS SON AILE, MAIS DEPUIS TROIS SEMAINES, GRANDPIN EST AU FOND D'UN CACHOT EN VOTRE BASTILLE!"

"""IL SUFFIRAIT D'UN MOT DE VOUS POUR QU'IL SOIT LIBRE!"

C'EST IMPOSSIBLE, MONSIEUR! GRAND-PIN S'EST TROP VANTÉ DE RÉPONDRE DE LA VIE DE MON PÈRE!"

"""C'EST UN SOT VANITEUX!"

"""IL N'A PAS MÉRITÉ LA CONFIANCE QUE LE ROI AVAIT PLACÉE EN LUI!"

J'ADMETS QUE GERMAIN SOIT UN PEU FORT EN GUEULE, MAIS TROIS SEMAINES À L'OMBRE L'ONT DÉJÀ BIEN PUNI!"

"""ACCOR-DEZ-MOI SA GRÂCE!!!"

LES HOMMES NE SE NOUR-RISSENT PAS SEULE-MENT DE PAIN ET D'EAU, ILS ONT BESOIN D'ÉPROUVER LES FRISSONS DE L'AMOUR ET DU SANG, IL LEUR FAUT DU SPEC-TACLE!"

C'EST POURQUOI JE SUIS MON-TREUR DE MA-RIONNETTES.

POÈTE, CHANTEUR DE RUE, DIABLE, MON-TREUR DE MARIONNETTES, TU NE MANQUES PAS DE MÉTIERS POUR UN VAGABOND!

JE SUIS AUSSI UN PEU OISE-LEUR, À MES HEURES!"

"""SURTOUT LES ÉPERVIERS!"

ET ALORS?!"

JE NE VOIS PAS LE RAPPORT AVEC MON TRÉSOR!"

J'Y ARRIVE, TOR-CHEPOT... SI JE N'ÉTAIS QU'UN HOM-ME, JE POURRAIS PARDONNER LE MAL QU'ON M'A FAIT!"

35

37

JE POURRAIS RENONCER À FABRIQUER DES RÊVES POUR EMBÊTER LE MONDE. LES HOMMES PARDONNENT... MOI PAS...

C'EST IMPOSSIBLE, MONSIEUR, N'INSISTEZ PAS !

RIEN N'EST IMPOSSIBLE AU ROI DE FRANCE, SIRE...

... VOUS AVEZ PASSÉ L'ÂGE DES CAPRICES !

MADRE MIA, MÔSSIEUR ! VOUS OUBLIEZ À QUI VOUS PARLEZ !

JE PARLE À UN ENFANT, MÔSSIEUR, NE VOUS DÉPLAISE, POUR LUI FAIRE ENTENDRE RAISON !...

... MON AMI GERMAIN EST UN JOUET TROP FRAGILE ENTRE LES MAINS D'UN ROI DE NEUF ANS !

TU N'ES PAS EN ÉTAT DE ME MENACER ! TU NE M'IMPRESSIONNES PAS ! JE NE CROIS PAS EN DIEU, JE NE CROIS PAS AU DIABLE, JE NE CROIS QU'EN MOI-MÊME !!!

... POUR LA DERNIÈRE FOIS, OÙ CACHES-TU MON TRÉSOR ?!!

ICI... AU FOND DE MES YEUX... REGARDE !

IL SOUFFIT, GAAAARDES !! SAISISSEZ-VOUS DE CET INSOLENT !!!

38

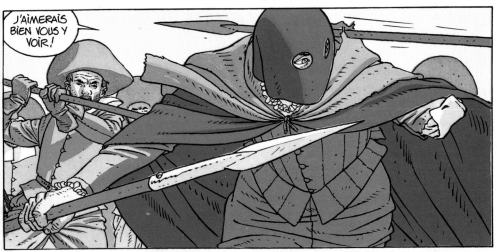

TU SAIS QUE JE T'AIME BEAUCOUP, GUILLEMOT ?

HEIN ?... MAIS... EUH... MOI AUSSI JE T'AIME BIEN, PETITE SOEUR ! MAIS POURQUOI TU ME DIS ÇA ?...

HÉ ! JE TE VOIS VENIR AVEC TES GROS SABOTS ! TU AS ENCORE UN SERVICE À ME DEMANDER ! OÙ EST-CE QUE TU M'EMMÈNES ?

DANS LE VIEUX PIGEONNIER.

JE LE VOIS BIEN, QU'ON MONTE AU PIGEONNIER. CE QUE JE VOUDRAIS SAVOIR, C'EST POURQUOI FAIRE !... IL Y A BELLE LURETTE QUE NOUS AVONS MANGÉ LE DERNIER EMPLUMÉ. QU'EST-CE QUE TU MANIGANCES ?...

NE SOIS PAS SI PRESSÉ, FRÉROT. TU VERRAS BIEN !

40

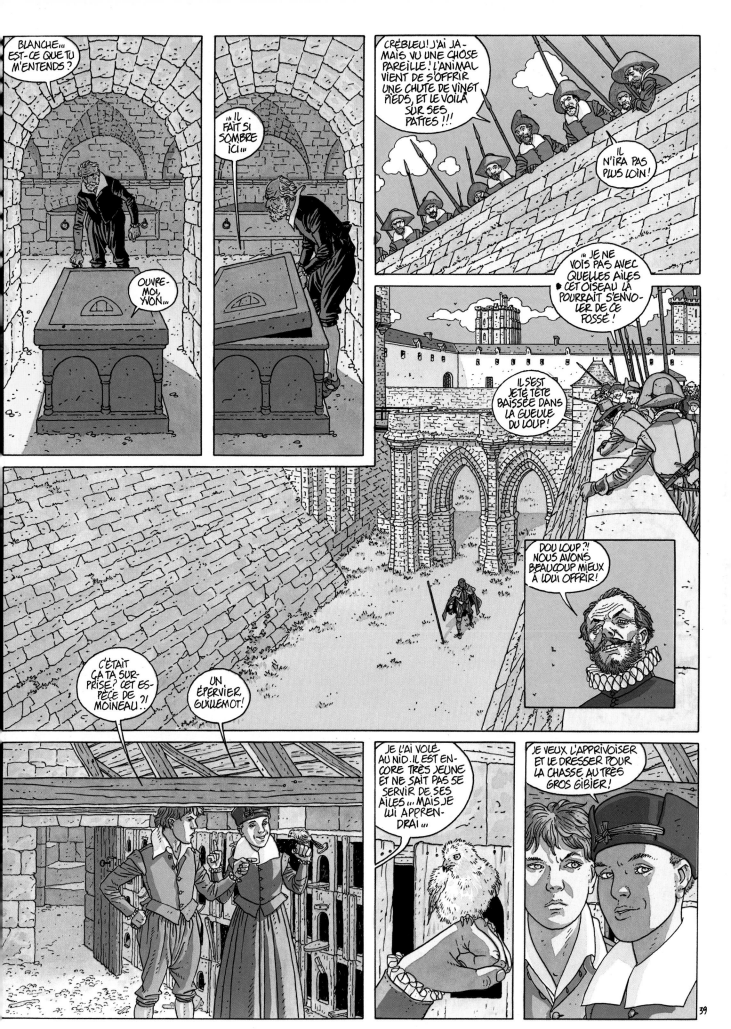

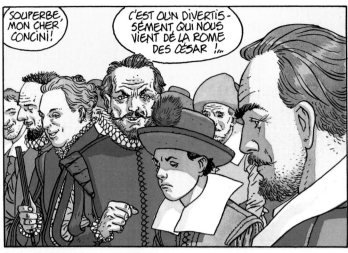

TU DORS OU QUOI?!

ATTAQUE!!!

TUE! TUE!!!

TU ESPÈRES RESSEMBLER À L'HOMME AU MASQUE ROUGE ?

PAS MOÌ, GUILLEMOT, PAS MOI!...

...CAR IL FAUT ÊTRE UN HOMME POUR JOUER À LA GUERRE!

J'AI UNE AUTRE SURPRISE POUR TOI, PETIT FRÈRE...

41

TUE
TUE!!!

C'EST TON COS-
TUME, GUILLEMOT,
JE L'AI TAILLÉ MOI-MÊME
DANS UNE ROBE
DE PAPA...

UNE ROBE
DE PAPA?!...

TU ES SI BELLE,
TOUJOURS, EN DÉPIT
DES ANNÉES...

TU ES TROP CHARITABLE,
MON AMI. TU ME REGARDES AVEC
LES YEUX DE TON AMOUR. JE
T'AI AIMÉ, JADIS, MAIS DEPUIS
QUELQUE TEMPS JE ME SENS
SEULE... SI SEULE... OÙ EST
GABRIEL?...

GABRIEL EST PARTI, IL NE REVIEN-DRA PAS...

C'EST MIEUX AINSI...

"YVON, PRENDS-MOI DANS TES BRAS...

À QUOI BON? JE NE SUIS PAS ENCORE ASSEZ FOU POUR POUVOIR OUBLIER CE QUE TU ES...

YVON...J'AI TELLEMENT FROID...

J'AI GARDÉ TA ROBE DANS CE COFFRE...

"TA JOLIE ROBE ROUGE...

C'EST ELLE QUE TU PORTAIS LORSQUE TU AS FUI UNE NUIT D'AUTOMNE. LE FROID ÉTAIT VENU TÔT CETTE ANNÉE-LÀ... MAIS LA GLACE SUR L'ÉTANG N'ÉTAIT PAS ASSEZ ÉPAISSE... *

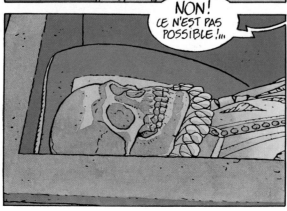

NON! CE N'EST PAS POSSIBLE!...

NE CRIE PAS, YVON, TU ME FAIS PEUR...

LE COFFRE EST VIDE!!! TA ROBE!!! TA ROBE A DISPARU!!!

* VOIR TOME 1 : LA BLANCHE MORTE

43

45

AAAAAAAAAAAAAAHHHH!

PAPA NE SERA PAS CONTENT QUAND IL SAURA!...

BAH! CE N'EST QU'UN VIEUX VÊTEMENT HORS D'USAGE!... ET PUIS, JE N'AVAIS RIEN D'AUTRE!...

AAAH!...

SACREDIEU, IL EST SALEMENT AMOCHÉ!

TU AS EU DE LA CHANCE, BEAU MASQUE, BEAUCOUP DE CHANCE! MAIS ELLE A TOURNÉ!...

DOUCEMENT, CONCINI! JE CROIS QUE CET HOMME A MÉRITÉ QU'ON LE LAISSE UN PEU TRANQUILLE!

RÉPÈTE APRÈS MOI : JE JURE DE CONSACRER DORÉNAVANT MA VIE À TOUJOURS PROTÉGER LA VEUVE ET L'ORPHELIN...

JE JURE DE CONSACRER MA VIE À PROTÉGER LA VEUVE ET L'ORPHELIN... ET MA SOEUR ARIANE QUI A DE LA SUITE DANS LES IDÉES !

JE JURE DE COMBATTRE L'INJUSTICE ET LES MÉCHANTS ET DE TUER LE COMTE THIBAUD...

JE CROIS QUE LÀ, TU POUSSES UN PEU FORT LE BOUCHON !!!

JURE.

CÉ DRÔLE A TOUÉ VOTRE LION, LOUIS... OUN ANIMAL HORS DE PRIX ! CÉ CRIME-LÀ MÉRITE OUN CHÂTIMENT EXEMPLAIRE !

MAIS...

LAISSEZ-MOI FAIRE, MAJESTÉ, YÉ CROIS QUE VOTRE FILS EST ENCORE OUN PEU IMPRESSIONNÉ PAR LÉ MASQUE...

SANS MASQUE...

...IL N'EST PLUS RIEN !

45

VOUS CONDUI-
REZ CET HOMME
AU PETIT CHÂTELET!
QU'ON LE SOIGNE
AFIN QU'IL VIVE POUR
SERVIR DE SOUFFRE-
DOULEUR À TOR-
CHÉPOT!

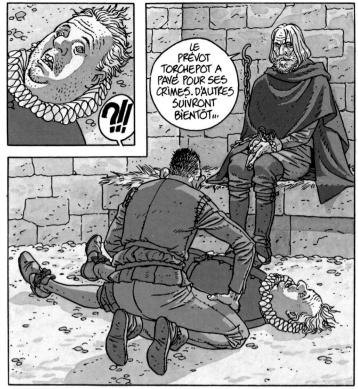

?!!

LE PRÉVÔT
TORCHEPOT A
PAYÉ POUR SES
CRIMES. D'AUTRES
SUIVRONT
BIENTÔT...

LES
HOMMES
PARDONNENT,
MOI PAS.

COMMENT PEUX-TU
ENCORE SOURIRE APRÈS
CE QUI T'EST ARRIVÉ,
MON MIGNON ? TU NE
VOIS PAS QUE LE PIRE
RESTE À VENIR ?...

DÉTROMPE-TOI,
SOLDAT. À PRÉSENT
JE SUIS LIBRE...
UN AUTRE A PRIS
MA PLACE...

...JE LUI SOUHAITE
BIEN DU PLAISIR...

ARIANE!
C'EST DE LA
FOLIE! JE
N'AURAI PAS
LA FORCE!

JE TE
PRÊTERAI
LA MIENNE...

...ET CELLE
DE MON
OISEAU...

PATRICK
COTHIAS
ANDRÉ
JUILLARD
1989

FIN DE L'ÉPISODE.